WILLIAM SANCHES

50 Perguntas sobre Lei da atração para iniciantes

50 perguntas sobre Lei da Atração para iniciantes

2ª edição: Abril, 2022

Autor:
William Sanches

Projeto gráfico:
Claudio Szeibel
designed by freepik.com

Revisão:
3GB Consulting, Lays Sabrina e Equipe Citadel

DADOS INTERNACIONAIS DE CATALOGAÇÃO NA PUBLICAÇÃO (CIP)

Sanches, William
50 perguntas sobre lei da atração para iniciantes / William Sanches. –
São Paulo : Citadel, 2021.

192 p. ; il., color.

ISBN 978-65-5047-106-4

1. Sucesso 2. Desenvolvimento pessoal 3. Pensamento novo

4. Autorrealização I. Título

CDD 158.1 21-4736

Angélica Ilacqua - Bibliotecária - CRB-8/7057

Produção editorial e distribuição:

CITADEL
Grupo Editorial

contato@citadel.com.br
www.citadel.com.br

WILLIAM SANCHES

50 Perguntas sobre Lei da atração para iniciantes

Prefácio

Tudo o que existe de bom e ruim na sua vida é resultado da Lei da Atração.

Cada evento, sentimento, pessoa ou situação, por mais cotidianos e insignificantes que possam parecer, têm um propósito importante na sua jornada evolutiva, e a Lei da Atração está presente em cada um deles.

A Lei da Atração é um algoritmo universal, instalado em nosso planeta para que possamos aproximar, a todo instante, situações, pessoas e eventos que possam nos proporcionar aprendizado e evolução.

Você pensa ou pensam por você?

Você é quem realmente gostaria de ser?

Quais paradigmas estão lhe guiando?

Essas perguntas são provocações para que possamos experimentar a liberdade de sermos os criadores conscientes de nossa realidade!

Todos somos criadores da nossa realidade. Porque tudo o que vivemos no presente é resultado de nossas escolhas pregressas, e o que nos falta é criar a realidade de uma forma mais planejada e consciente, e isso é possível quando entramos em contato com as regras desse algoritmo chamado Lei da Atração.

A maioria de nós, seres humanos, é estimulada a comprar ideias prontas, processadas, diluídas. Portanto, somos estimulados a não pensar e, assim, criamos crenças equivocadas, que formam o nosso paradigma, que é um conjunto de sentimentos, pensamentos, emoções e crenças (muitas vezes, limitantes) que nos impedem de experimentar plenamente nossos potenciais, e de viver em liberdade absoluta.

Pense comigo: quantas vezes você teve vontade de fazer certas coisas, mas deixou de fazê-las porque não parecia certo aos olhos da sociedade? Quantas vezes você reprimiu seus desejos? Tudo isso é fruto do sistema de crenças que nos governa e que nos impede de sermos absolutamente livres e felizes.

Para se libertar, é necessário quebrar padrões e investir no seu autoconhecimento!

Nesta obra excelente, o amigo William Sanches demonstra com leveza e muita praticidade os segredos da Lei da Atração, e como você pode aplicá-la na sua vida de uma forma prática e divertida, alcançando aquelas metas, desejos e conquistas que estão adiadas, empoeiradas e, muitas vezes, esquecidas dentro de você.

Tudo o que você pensa e sente, o universo lhe devolve na mesma proporção e sintonia!

Procure imaginar-se como um grande ímã, e comece a nutrir a sua alma apenas com pensamentos e sentimentos de vibração elevada. E se eu tivesse que deixar apenas um conselho aqui sobre a Lei da Atração, seria: exercite a verdadeira gratidão, aquela que vem do coração e admire o sucesso das outras pessoas. E falo isso porque, com essa dica, você já estará agindo na direção dos seus sonhos!

Ser grato direciona seu foco para o que já foi conquistado, e o universo entende que você quer conquistar mais!

Quando focamos no que ainda não temos, o foco é direcionado para a escassez, e o universo entende que você deseja mais escassez...

Parece clichê e simples demais, mas, se você testar, poderá comprovar na prática a Lei da Atração.

Além disso, admirar o sucesso das outras pessoas e comemorar suas conquistas como se fossem nossas aumenta nosso potencial de atração, porque nossa mente não diferencia ficção e realidade. Logo, se estou comemorando o sucesso do outro, estou atraindo sucesso para mim, pois, para a mente, sucesso é sucesso. Se este sucesso é meu ou de outra pessoa, isso não fará nenhuma diferença para a atração.

A Lei da Atração funciona para todo mundo, independente de gênero, idade, profissão ou credo, porque é inerente à alma humana.

Todos nós estamos sujeitos a ela e não tem como escapar: ou você descobre suas sutilezas e segredos para transformar sua vida para sempre, ou continua sujeito às consequências do "efeito manada", sentindo-se impotente, subutilizado, sendo mais um no meio de uma multidão de insatisfeitos com a economia, com o governo ou com o seu trabalho; que passam suas vidas reclamando e falando sobre isso, e acabam por não conquistar seus sonhos e metas.

Que tal sair do mainstream e tornar-se alguém que, como um drone, consegue sobrevoar e enxergar tudo de cima, antecipando tendências e encontrando as melhores soluções? Que tal ter uma vida mais tranquila e equilibrada, sem tanta oscilação de energia, tantos altos e baixos e viver mais feliz e com mais alegria durante a semana inteira, em todos os momentos, e não apenas nos finais de semana e períodos de férias?

Esse é o nosso convite para que você mergulhe nessa obra e transforme a sua vida para sempre, conquistando prosperidade, abundância, felicidade, poder pessoal, autoestima, felicidade e plenitude.

Você já sabe como fazer para atrair tudo o que deseja, mas apenas se desconectou dessa função!

Lendo essa obra até o final e mergulhando no que William propõe, você estará novamente habilitado a criar a vida dos seus sonhos. E acredite, ela é possível!

Vamos juntos?

Com amor, Patrícia Cândido.

Quem é *Patrícia Cândido?*

Patrícia Cândido é escritora *best-seller* internacional, com 20 obras publicadas. É filósofa e pesquisadora na área de espiritualidade livre e terapias naturais há quase 20 anos. É mentora e palestrante internacional, com mais de 150.000 alunos em seus treinamentos.

CEO do Grupo Luz da Serra, a autora se orgulha muito de dizer que é cofundadora de uma empresa genuinamente espiritualista. Como conferencista, já ministrou mais de 2 mil palestras e *workshops* presenciais, somando um público superior a 50.000 pessoas.

Destaque no canal Luz da Serra, no YouTube, que conta com mais de 2 milhões de seguidores, ela aborda assuntos de bem-estar e espiritualidade, que transformam a vida de milhares de pessoas diariamente.

Patrícia é Embaixadora Mundial da Fitoenergética reconhecida pela imprensa nacional e internacional. Já colaborou com revistas como a Negócios, Exame, Bons Fluídos, Glamour, Estadão, além de participar de diversos programas de TV, na Band e TV Gazeta.

Introdução

Durante muito tempo, uma pergunta me atormentava: por que algumas pessoas têm tudo, e com facilidade, e outras demoram e muitas vezes não conseguem o que desejam?

Algo diferente deveria ter entre essas pessoas. Afinal, todas possuíam as mesmas condições, moravam no mesmo país e, algumas, até na mesma família.

Por que uns iam tão longe e outros sempre patinavam?

Eu me incomodei por anos com minha situação de escassez e, como um garimpeiro que entra em cavernas escuras e profundas e escava a rocha dura à procura de diamantes, eu procurei como as pessoas bem-sucedidas pensavam, falavam, sentiam, se comportavam...

Sempre fui apaixonado pelas questões da alma, dos sentimentos e da mente.

Não é à toa que me tornei um bom terapeuta.

Li e estudei de tudo, vi vídeos, encarei livros e perdi as contas de quantas palestras e cursos fiz nessa área.

Não sei te dizer quando tive meu primeiro contato com a expressão "Lei da Atração", mas sei que foi quando todas as peças soltas que eu tinha se juntaram, como em um velho quebra-cabeça, formando um sentido para tudo!

Me aprofundei muito, sempre fui muito curioso, o que me motivou a conhecer mais sobre a Lei da Atração e seus mistérios.

Eu acreditava em dias melhores e sabia que a abundância era para mim, mas não sabia como chegar e permanecer nela de fato.

Então, resolvi mergulhar na física quântica, na neurociência e nessa tal de Lei da Atração que, em 2006, teve um verdadeiro boom com o lançamento do documentário e do livro "O SEGREDO", de Rhonda Byrne.

Esse foi um livro divisor de águas, que tornou a Lei da Atração conhecida. Mas não de maneira aprofundada!

É isso mesmo: ao mesmo tempo em que se gerou um marketing imenso sobre essa poderosa lei, difundindo-a por todo o mundo, para muitas pessoas, criou-se um efeito contrário: as pessoas começaram a achar que somente a força do pensamento seria capaz de mudar nossa realidade e que, se passássemos horas pensando positivo, meditando e falando "gratidão", as coisas começariam a acontecer e os desejos se tornariam realidade num passe de mágica!

Não é só isso.

A Lei da Atração é uma incrível peça dentro de toda uma engrenagem.

Ela não funciona sozinha. Ela está intimamente ligada a outras leis universais, como a lei do livre-arbítrio, ação e reação, vibração, reciprocidade, ritmo...

Ela é uma peça que, se compreendida e colocada em prática da maneira correta, transforma vidas, SIM!

O segredo é somente saber como usá-la da maneira correta e não ter preguiça de aprender.

Não foi somente por esse motivo que resolvi escrever esse guia, rápido e didático, mas também percebi a necessidade que as pessoas vêm apresentando em cocriar uma realidade mais saudável e harmoniosa, e também senti que estamos preparados para reavivar esse assunto, da física quântica e da Lei da Atração, só que, desta vez, de maneira simples e com o grande segredo revelado, de fato!

Este guia é para aquelas pessoas que buscam começar a aprender essa lei universal e transformar sua vida de maneira positiva e manifestar seus desejos embasados em anos de estudo, em que fui o cientista, o experimento e o resultado.

Hoje, vivo uma vida bem-sucedida. Tudo o que ensinarei neste livro a você foi aplicado em minha vida e na vida de diversas pessoas que transformaram suas realidades de dificuldade, pré-ocupações e dores em uma vida de facilidades, criatividade e virtudes por meio de meus cursos e livros.

Comparo cada pergunta a um degrau. Uma grande escada começa no primeiro degrau. Passo a passo, etapa por etapa. Faça o mesmo.

Estude, compreenda, aplique.

Certamente, valerá cada degrau.

— William Sanches

SUMÁRIO

50 perguntas sobre

Lei da Atração

"Como todas as leis da natureza, essa lei é absolutamente perfeita. Você cria sua vida. Você colhe o que semeia! Seus pensamentos são as sementes, e a sua colheita dependerá do tipo de sementes que você planta."

— **Rhonda Byrne**

1 O que é a **Lei da Atração?**

É uma **lei natural do universo**, que nos rege no mundo, assim como a lei da gravidade, assim como a lei do livre-arbítrio, por exemplo.

Tudo aquilo que você pensa, sente e vibra, você está, automaticamente, através do poder do seu pensamento, atraindo para sua vida, sua realidade.

A **Lei da Atração** atrai para nós aquilo que pensamos, seja consciente ou inconscientemente.

A **Lei da atração** está sempre agindo, acredite você nela ou não.

Você atrai o que você é!

O Universo te dá mais do mesmo, não importa onde more, nem quantos anos tenha. Eu e você trabalhamos com um poder incrível: a atração.

"É um prazer e uma alegria *plantar* novas sementes, pois sei que elas se tornarão minhas novas experiências.

Agora, eu escolho fazer a minha vida *leve, fácil e alegre.*

Com facilidade e liberdade, deixo ir o velho e, alegremente, dou boas-vindas ao *novo.*"

2 O que é **possível atrair** com a **Lei da Atração?**

Cuidado! Cada um de seus pensamentos é algo real quando falamos sobre atração.

Em outras palavras, você pode tudo! Não importa o que você tenha em mente, você pode trazer para si. Você pode tudo, mas nem tudo é bom para você.

Vamos imaginar uma coisa muito maluca para usar como exemplo: eu quero fazer uma viagem para a Lua. Então, pergunte para você mesmo:

"Isso está ao meu alcance agora?"

Não estou dizendo para você limitar o seu sonho, mas você tem que ter os pés no chão. Pergunte:

> **"Quantos anos eu vou ter que estudar** *para ingressar na NASA?* **Com que idade eles costumam** *mandar pessoas para a Lua?* **Quanto tempo eu preciso** *despender na minha vida* **para conseguir ir à Lua?"**

Percebe?

Você precisa ter um sonho, um desejo, uma atração mensurável, palpável, para que isso possa chegar em sua vida. Porque, senão, você apenas irá perder o seu tempo, patinando sem sair do lugar, deixando de acreditar na Lei da Atração.

"*Eu me amo* e me *aprovo.*
Assim, sou capaz de criar uma vida abundante.

Reconheço, em mim, toda a *força* do universo.

Tudo o que *desejo* está dentro do meu ser."

3 Como trabalhar e colocar em **prática** a **Lei da Atração?**

Estamos trabalhando a **Lei da Atração** o tempo inteiro. Então, quando pensamos alguma coisa, automaticamente emitimos para o planeta uma energia ou uma frequência vibracional. Você não precisa "ativar" nada! Ela, como toda lei natural do universo, já está ativa.

Imagine o seguinte: quando você conecta o rádio em uma estação, para ouvir rock ou sertanejo, você está sintonizando uma frequência da rádio que vai te trazer uma resposta.

Lembre-se de que, toda vez que pensamos, emanamos ondas eletromagnéticas, fazendo com que atraiamos para nós tudo aquilo que desejamos.

Não é preciso "colocar em prática", pois ela está agindo a todo momento. É necessário aprender como ela funciona de maneira mais rápida e com resultados positivos.

É interessante saber que podemos criar e controlar nossa realidade externa através dos conhecimentos poderosos sobre a Lei da Atração.

"Deixo minha *mente livre* de pensamentos boicotadores para o universo me conectar com o melhor.

***Confio no universo* e em suas leis."**

4 Quais passos podem **ocasionar erros** na **Lei da Atração?**

Não consideramos erros na **Lei da Atração**, mas podemos atrair coisas que não sejam tão claras, como, por exemplo:

"Eu quero muito um namorado bom". Mas o que seria um "namorado bom", para você?

Um homem honesto?

Um homem trabalhador?

Um namorado bom é um homem bom de cama?

Perceba que, para cada pessoa, "bom" pode abranger coisas diferentes. Então, quanto mais clareza do seu objetivo você tiver, menos erros você cometerá.

"Tenho meus *objetivos* muito claros e minhas metas também.

O universo entende bem o que eu quero e manifesta de acordo com minha *clareza*."

5 A **Lei da Atração** é, literalmente, **atrair coisas** para a nossa vida?

Se, ao acordar, você pensar: "vou me atrasar para a reunião e pegar trânsito", você estará emanando uma energia, enviando uma frequência eletromagnética para o universo e atraindo, instantaneamente, coisas para si que, de fato, criarão essa realidade. Você se atrasará mais e mais. Você emitiu uma ordem.

Temos que ter uma ideia muito clara em nossa mente: somos um imã humano, atraindo tudo aquilo que pensamos, sentimos e vibramos. Você é o imã mais poderoso do universo nesse momento, tenha clareza disso. Possuímos um poder magnético dentro de nós muito forte. Esse poder é irradiado pelos pensamentos predominantes.

Estamos, A TODO MOMENTO, atraindo coisas, pessoas e situações, Mas a atração e manifestação do desejo começa pelo nosso pensamento. Portanto, o que pensamos e, principalmente, o que sentimos, é o que será atraído para nossa realidade atual.

"Sou um ímã humano, atraindo toda *prosperidade*, *riqueza* e *oportunidades* em minha vida."

6 Posso desejar **diversas coisas** ao mesmo tempo ou preciso **focar** em algo específico?

Podemos desejar diversas coisas ao mesmo tempo, sim. Porém, onde colocamos foco, ampliamos a energia.

Por exemplo: você pode desejar tirar sua carteira de habilitação, fazer uma viagem para o exterior, tirar o seu passaporte, ficar milionário, ter sua casa na praia ou emagrecer, só que você está emanando um pedacinho de energia para cada coisa. Se você focar direto e colocar toda tua energia na direção de um desejo, você tem mais chance de fazer isso mais rápido e de ter sucesso.

É trabalhar a distribuição do seu foco de maneira inteligente e produtiva!

Minha dica é que você tenha FOCO em um objetivo e crie metas.

Nesse momento, não há problema algum ter metas secundárias no caminho do seu objetivo, desde que você nunca perca seu foco em realizá-lo.

"Minhas *ideias* são incríveis e tenho energia criativa para trazê-las à vida.

Meus pensamentos de *prosperidade* criam o meu mundo próspero."

7 Posso usar a **Lei da Atração** para **afastar pessoas** que não me fazem bem?

Sim.

Mentalize aquelas pessoas sendo felizes longe de você, viajando para bem longe. Você não precisa desejar mal a elas simplesmente porque não as quer mais perto de você. A vida é feita de ciclos e, às vezes, essa amizade, esse namoro ou casamento acabou. É inteligente continuar e se desligar.

O contrário também vale. Já aconteceu de você começar a pensar muito em uma pessoa, pegar o celular e chegar uma mensagem dela? Você enviou ondas eletromagnéticas para ela e se conectou com a energia dessa pessoa.

Se você não quer se conectar mais com alguém, não pense mais nessa pessoa. Mentalize-a sempre indo embora para longe de você, e coloque outra energia no lugar da energia que ela tinha dentro de você. Deixe de ocupar sua mente com essa pessoa. Mude o foco e sua energia também irá mudar e, consequentemente, seu poder de atração.

"Sou *livre*
para ser eu mesmo
e dou aos outros
a liberdade de serem
como são.

Estou cercado
de *pessoas boas,*
que me influenciam
positivamente
em minha vida."

8 Pensar negativo **pode afetar** a **Lei da Atração?**

Todo o pensamento está criando sua realidade.

Não é que ele "afeta" a Lei da Atração. Lembre-se de que ela está funcionando o tempo todo.

O que acontece é o seguinte: se pensarmos negativo, a realidade negativa vem para nós, porque se transformou no pensamento predominante.

A Lei da Atração não é um botão que você ativa e desativa. Ela está funcionando o tempo todo, integralmente, inclusive quando dormimos ou acordamos. Não há como ligá-la e desligá-la. Então, se eu estou pensando negativo, estou construindo uma realidade negativa para mim. E esse é um verdadeiro problema: ter um padrão mental extremamente negativo!

Pensar positivo é treino!

"Minha mente é *próspera*
e trabalha sempre para a frente.

Consigo transformar qualquer
pensamento improdutivo
em ideias *rentáveis*, qualquer
negatividade em positividade.

Minha mente está
cada dia melhor!"

9 Se todas as pessoas começarem a usar a **Lei da Atração,** e a usar isso como um catálogo, não irão **faltar recursos no universo?**

Não!

O universo tem tudo aquilo que nós precisamos e, além disso, cada pessoa tem um tipo de desejo.

Nem todas desejam um carro branco. Existem pessoas que gostam de carro preto, ou prata. Então o universo é um grande catálogo e, quando abrimos esse catálogo de desejos, escolhemos a vida que queremos ter.

Essa pergunta mostra que a pessoa que a fez vibra mais na escassez. Por isso, esse medo de faltar.

O universo é abundante, não vai faltar nada.

E, quando falta, é pelo mal ou pela realidade de escassez gerada pela pessoa.

Lembre-se sempre de que nós é que estamos construindo nossa própria realidade.

Estamos exatamente onde nos colocamos e, se ficarmos preocupados, pensando que irão faltar recursos no universo por todos conhecerem a Lei da Atração, estamos na energia da escassez, pensando na falta, com o sentimento de medo, vibrando na escassez e, possivelmente, só esse tipo de coisa acontecerá em nossa vida.

Mude essa frequência baixa. Essa dúvida demonstra seu padrão de falta e egoísmo.

Sua preocupação te impede de ser criativo, rico e abundante!

Repense seus padrões e descubra de onde vem esse medo de faltar coisas.

"Tudo o que quero já está disponível no universo, que é abundante e ilimitado!

Sou merecedor da *riqueza* e da *prosperidade!*"

10 O que posso fazer para **começar a usar** a **Lei da Atração** hoje?

Você já está usando a Lei da Atração, dormindo e acordado.

Ela está te regendo a todo momento. Então vamos mudar a pergunta:

Como eu posso, agora, ter clareza dos meus desejos, para a **Lei da Atração** me ajudar a ser atendido muito mais rápido?

Melhorou, não é?

Se você não tiver clareza, é só um desejo vago, é só uma ideia mirabolante que passou pela cabeça, um sonho flutuante.

Então, como vamos saber que chegamos lá?

Se estamos no ponto A e vamos para o ponto B, existe um trajeto para se chegar lá. Então, precisamos nos movimentar.

Fé gera ação e a ação é que gera os milagres. Podemos chamar de milagre a sua realização, aquele desejo que você tem na sua vida! É preciso saber onde você está agora e para onde você quer ir.

Vou te ajudar de uma forma bem rápida. Veja essas perguntas que preparei para você.

Use a qualquer momento, em todo seu tempo de cocriação de nova realidade. Essas perguntas clareiam caminhos.

Ponto A

Onde você está agora? Onde mora? Com o que trabalha? Qual a sua situação atual?

Ponto B

Qual meu principal objetivo? Quais são os detalhes? Qual a data em que pretendo realizar?

Trajeto

Quais recursos necessito agora? Como posso me preparar melhor para meu objetivo? Existem pessoas ou situações que podem me ajudar? Se depende só de mim, estou fazendo meu máximo?

Trajeto

Conheço pessoas que alcançaram esse objetivo? Sei que tenho o meu jeito, mas como elas fizeram? Isso pode me ajudar a clarear meu trajeto?

"Sou criativo, inteligente e sei *exatamente aonde quero ir* e como vou fazer para chegar lá!"

11 Por que não consigo usar a **Lei da Atração** para **ganhar na loteria?**

Quando colocamos ganhar um prêmio como objetivo, estamos tirando de nós mesmos qualquer valor, habilidade ou capacidade de atingir um resultado. E será nessa inabilidade e incapacidade que vibraremos e, obviamente, não nos conectamos a nenhum prêmio. Pelo contrário!

Costumo dizer que a sorte é a junção da oportunidade com o preparo.

A oportunidade do jogo está aí e é igual para todos. Mas e o preparo?

Neste momento, você deve estar pensando:

"Mas, William, é preciso preparo para *ser rico?*"

Sim! É preciso preparo para ser rico!

Pense em quantos ganhadores de loterias perderam tudo, ou até mesmo ficaram mais pobres que antes do prêmio.

O que acontece com essas pessoas é que elas não estavam preparadas para aquela fortuna: não tinham educação financeira, não buscavam conhecimentos e, o pior de tudo, se mantinham no *mindset* (no padrão mental) da escassez, da pobreza e da dificuldade. Quando a riqueza chegou, se manifestou, essas pessoas fizeram de tudo (inconscientemente) para voltar ao padrão já conhecido da escassez, e perderam toda a fortuna, pois não mudaram seus pensamentos, sentimentos e, em consequência, suas vibrações, que são o que realmente nos conecta às coisas boas!

Querer resolver as coisas "num passe de mágica", com jogos, é apostar algo e manter expectativas pequenas.

Milhares de pessoas estão com expectativa para ganhar.

Porém, você pode fazer esse dinheiro de outra forma. Aqui, posso te dizer que o universo espera de você mais que isso: use sua missão, seu talento, seus dons para estar na riqueza e SER rico de verdade.

Só o dinheiro não te faz rico.

Porém, não estou aqui para te desanimar de ganhar em qualquer jogo. Em outras palavras, estou querendo te dizer: você é muito mais que isso.

"Minhas ideias, energia e paixão estão *criando riqueza agora.*

A abundância chega até mim de várias maneiras.

O dia de hoje está *cheio de oportunidades* **e eu as aproveitarei."**

12 Tenho um processo na justiça e usei a **Lei da Atração,** mas não consegui ganhar. **O que fiz de errado?**

Temos sempre que lembrar se nossos objetivos são realmente tangíveis. Também temos que saber se eles são corretos.

O que quero dizer com isso: existem chances concretas de você ganhar esse processo? É algo muito demorado, de acordo com os advogados ou a justiça de seu país?

Visto todos os detalhes e, mesmo assim, sendo um objetivo tangível, o que você fez está correto (determinar todas as metas que dependem de você).

A partir desse momento, o que você pode fazer é vibrar em frequências elevadas de merecimento, alegria pelo processo se resolver, e fazer visualizações desse processo já finalizado. Traga a sensação da justiça, alegria e merecimento para essa visualização, sinta e, automaticamente, sua vibração se eleva para conectar-se com a solução desse caso.

Modifique o eixo. Ao invés de sentir-se mal, sinta-se bem e realizado. A Lei da Atração não é uma cartola, da qual sairá um coelho, nem é vara de condão, muito menos um passe de mágica. É realidade!

Além disso, seu processo tem outra parte interessada, e essas pessoas também vibram. Continue firme e acreditando, com os melhores sentimentos que podem brotar dentro de você. Raiva, ódio, rancor, pressa, ansiedade... Nada disso vai te ajudar nesse momento.

"Eu mereço *toda a prosperidade, justiça e alegria* que o dinheiro vai me proporcionar.

O dinheiro é meu *direito natural.*"

13 Para a **Lei da Atração** funcionar, é preciso **pedir, sentir e soltar?**

Quando se diz para "soltar", é para se desprender da ansiedade e preocupação com o objetivo.

O certo é você vibrar sempre no que você quer e ter isto sempre em mente, "soltando" a ansiedade em realizar seu objetivo. Essa é mais uma das "balelas" que contam sobre a Lei da Atração, e é muito perigosa!

Quando falamos em "soltar", nos traz a ideia de sentar a bunda no sofá e esperar que o desejo se manifeste. MAS NÃO É NADA DISSO! Para a Lei da Atração funcionar corretamente e mais rapidamente em sua vida, é necessária a AÇÃO!

Sem nos movimentarmos, nada vai acontecer. Ou, o que acontecer, será qualquer coisa, pois quando não sabemos para onde ir, qualquer caminho serve. E não é isso que queremos! Este livro é para que você saiba exatamente que a sua realidade está em SUAS MÃOS. Mas, para isso, é necessário agir! Sem a ação, nada acontece. Portanto, quando falamos em "soltar", é tirar a ansiedade e, por vezes, até uma certa obsessão sobre o desejo.

Quando vibramos na ansiedade e na obsessão, estamos vibrando em frequências muito baixas, que nos conectarão a situações de baixo valor a nós! Para você ter uma ideia, cada emoção produz uma vibração medida.

Veja esse espiral que preparei para você, com base nos estudos do Dr. David Hawkins, MD, PhD que foi um psiquiatra, médico, pesquisador, professor espiritual e autor de renome internacional.

Escala das *emoções*

700+	Iluminação
600	Paz
540	Alegria
500	Amor
400	Razão
350	Aceitação
310	Boa vontade
250	Neutralidade
200	Coragem
175	Orgulho
150	Raiva
125	Desejo
100	Medo
75	Tristeza
50	Apatia
30	Culpa
20	Vergonha

Dr. David Hawkins também dizia:

"Tudo o que fazemos a partir do espaço da sabedoria interior, é certo antes mesmo de acontecer.

Quando estamos no caminho certo, temos aquela certeza interna, e o resultado já é óbvio para nós."

Ser óbvio não significa ficar em cima, perturbando e vibrando em sentimentos de desconfiança.

Desconfiar pode ser o famoso "será que vai dar certo?" ou "se Deus quiser...".

Se você tem certeza do que deseja e a realização disso é uma verdade absoluta para você, o universo inteiro se movimenta para que isso aconteça.

Você e o universo são um.

Lembre-se!

"Eu escolho *vibrar no amor, na alegria e na abundância,* pois, assim, sei que consigo atingir meus objetivos.

Deixo de lado a ansiedade e *abraço a confiança e minha capacidade de conseguir* mais em minha vida."

14 Posso usar a **Lei da Atração** para **atrair uma pessoa** em específico?

Acredito que seja melhor você trabalhar seu interno, seu desenvolvimento, ficar cada vez melhor, aumentando sua vibração, pois, dessa maneira, ela entrelaçará com alguém que vibre da mesma maneira que você.

A Lei da Atração funciona individualmente. Você não deve interferir no caminho de outra pessoa baseado somente na sua própria vontade.

"Eu me amo como sou
e melhoro a cada dia.
Assim, pessoas boas
como eu se conectam a mim."

15 Como mudar a minha **assinatura energética?**

Primeiro, vou te explicar o que é a assinatura energética!

Todos os nossos pensamentos geram ondas eletromagnéticas, que alteram nosso sentimento. Imagine um dia chuvoso, em que você começa a pensar naquele relacionamento que não deu certo. Automaticamente, você começa a sentir-se triste, culpado, com saudades e sozinho.

Pronto! Seu pensamento mudou o seu sentimento, que também emite ondas eletromagnéticas, alterando a vibração à sua volta, que chamamos de assinatura energética.

Você já deve ter ouvido a expressão:

> "*Meu santo não bateu com tal pessoa* **ou** *Não gostei da energia dela, é pesada!*"

Isso é a assinatura energética!

É o que vibramos! É a energia em torno de você, que eu gosto de chamar de assinatura. É mesmo como nossa assinatura, quando escrevemos em um documento. As pessoas sabem que somos nós, porque a reconhecem.

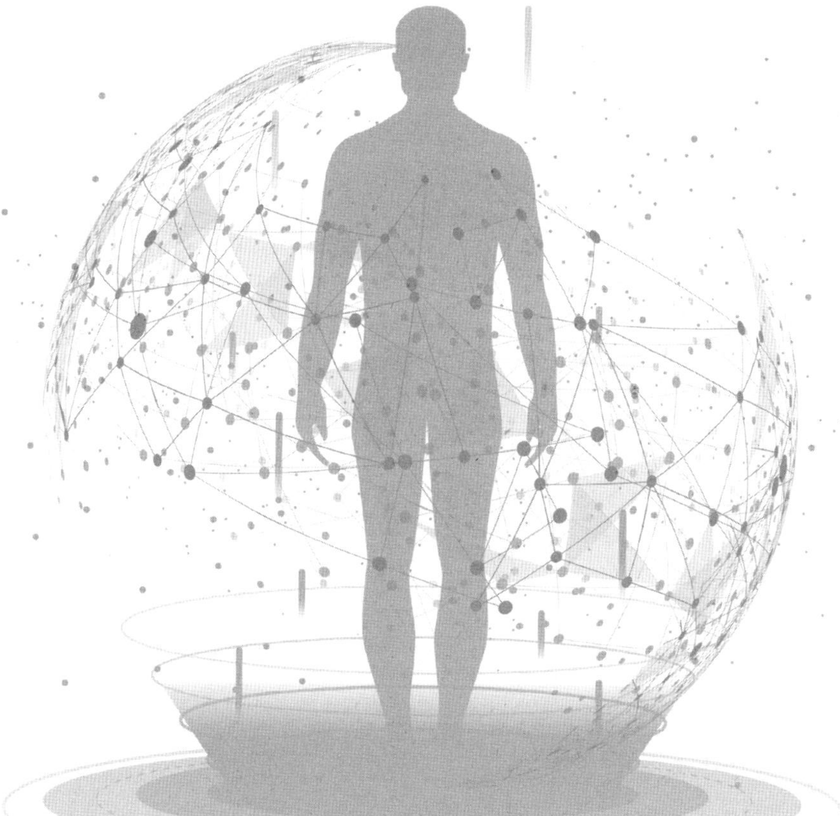

Podemos ter a assinatura energética do protagonista na vida, do corajoso, do inteligente, do sábio, do próspero, ou podemos ter a assinatura energética da vítima, do reclamão, da pessoa que está sempre no fracasso e na dor!

Mudamos nossa assinatura energética todas as vezes que estamos atentos aos nossos pensamentos.

Todo pensamento passa por um “filtro de crenças”. Portanto, faz sentido você analisar a qualidade de seus pensamentos em relação à vida afetiva, financeira e pessoal.

Acreditar na dificuldade só trará mais dificuldade em nossa vida.

Lembre-se: os pensamentos geram emoções que, automaticamente, acionam nossa vibração, produzindo assim nossa assinatura energética.

Se você quer alterar sua assinatura, altere a qualidade de seus pensamentos!

"Eu sou incrivelmente *bem-sucedido em tudo.*

Eu sou forte e tenho poder para criar coisas que vão me permitir *viver uma vida mais abundante.*

Eu tenho certeza *do que eu quero.*

Eu sou consciente *do que eu quero.*

Sou consciente *de quem sou.*"

16 Por que a **Lei da Atração não funciona comigo?**

Muitas vezes, colocamos nosso foco, nossa atenção em algo, mas os nossos sentimentos – aqueles profundos mesmo – estão conectados em outras situações.

O que manda na Lei da Atração não é o pensamento, e sim o sentimento.

Naquilo que você julgava impossível de acontecer, seu sentimento deveria estar tão forte, que se conectou ao seu objetivo.

A nossa maior dificuldade é entender nossos sentimentos, porque nosso lado racional interfere e nos direciona para outro lado, nos fazendo duvidar do que sentimos.

Não esqueça: é o sentimento que ativará a Lei da Atração para você!

A culpa é um dos sentimentos bloqueadores da Lei da Atração, que a impede de funcionar aceleradamente para você.

Culpa é viver no passado. E lá, nada pode ser mudado.

Deixe o que quer que seja no seu devido lugar: no passado. Viva o hoje!

À medida que você dá foco a esse pensamento, mais nutrido ele se torna. E não é esse o objetivo.

Foque para a frente.

O sentimento de não merecimento é, também, um dos causadores do bloqueio da Lei da Atração.

Qual o sentido de você achar que não merece o seu objetivo?

Haverá sempre "desculpas" externas a você para justificar o seu sentimento de não merecimento

É um sentimento de vibração tão baixa, que você o alimenta constantemente, e é isso que você terá em sua realidade.

A prosperidade e a abundância são direitos de TODOS.

Não existem escolhidos. Não existe "esse ou aquele dará certo, e aquele outro ali nasceu para dar errado". Isso é crença limitante e pode estar impedindo você de atingir seus objetivos, simplesmente porque seu pensamento dominante ainda está na escassez.

"Crio *novos pensamentos*,
o mundo à minha volta também.

Agradeço a *cada mudança positiva*
que venho percebendo.

Estou *pronto para ser curado.*

Estou *disposto a perdoar.*

Estou *disposto a me livrar*
de qualquer sentimento
que não me faça
ir para a frente."

17 Não acredito na **Lei da Atração.** Como posso **mudar isso?**

Não importa se você acredita ou não na Lei da Atração. Ela está funcionando o tempo todo, com ou sem você perceber ou concordar.

Sinto essa pergunta mais como uma defesa sua. Afinal de contas, se fosse realmente essa a sua crença, você nem estaria aqui.

Que frustração te fez pensar assim?

Ela é uma lei universal que nós, humanos, não podemos mudar. Ela está regendo o planeta, e foi uma descoberta já aprofundada pela física quântica, por grandes mestres e estudiosos. Nossas moléculas vibram com nosso sentimento e isso é provado cientificamente.

A Lei da Atração faz com que você se conecte com tudo aquilo que deseja, a partir do poder da mente, porque pensamentos se concretizam: a casa que você quer, o carro ou até o relacionamento que você sonha, passam antes pelo seu pensamento, criando sua realidade.

O conhecimento é um banquete que se serve, mas não obrigamos ninguém a comer.

A Lei da Atração está aí para todos, mas ela não pode te conectar ao que é bom se você não conhece o mecanismo, a engrenagem dela.

"Eu me liberto agora de *toda resistência antiga* que não me serve mais.

Abro minha mente para o novo
e, assim, permito que *novas ideias criativas* cheguem para mim."

18 "Pensamentos são coisas." Como assim, William? Não entendi isso!

Tudo que parte do nosso pensamento se transforma em algo concreto.

Uma cadeira que sentamos, por exemplo, foi antes somente uma ideia na cabeça de alguém. Toda nossa realidade externa não é diferente da nossa realidade interna.

Quando vemos uma pessoa com problemas na vida, podemos nos questionar o que ela fez para merecer aquilo. Mas, muitas vezes, essa pessoa em dificuldades teve um passado em que ela não foi tão legal, correta ou justa, e existe uma lei que funciona paralelamente à Lei da Atração, que é a Lei da Ação e Reação. Essa pessoa pode ter feito muito mal a alguém ou ter até amaldiçoado o outro e, assim, ela não consegue cocriar coisas boas na vida dela.

Não se compare ao cocriar sua realidade. A comparação só te atrapalha.

Lembra que pensamentos são coisas, e tudo o que você pensa, está criando.

A lei responde aos seus pensamentos, sejam eles quais forem.

Se você repara em um carro que gosta muito e acha bonito, de repente, começa a vê-lo a todo tempo no trânsito. Se você detesta alguém, vibra nisso e pensa nessa pessoa, você a encontra no elevador.

Você pensa tanto no ex-namorado, que o encontra na escada rolante do shopping.

Eu te pergunto: qual era a probabilidade?

Pensamentos são coisas.

Acredite nisso e preste atenção nos detalhes.

Agarre-se aos pensamentos daquilo que deseja.

Deixe perfeitamente claro.

Você atrai, você se torna, você vive exatamente aquilo em que mais pensa.

"Tenho *poder, confiança e capacidade* para conquistar todos os meus objetivos.

Não é à toa que cheguei até aqui, e *sei que vou mais longe.*

A confiança mora em mim, *ela é bem-vinda e acolhida* sempre!"

19 Dá para **emagrecer** com a **Lei da Atração?**

O que emagrece é regime, dieta, uma vida mais saudável, disciplina, novas atitudes. Mas a Lei da Atração te dá uma força, sim!

A todo objetivo que for mensurável, ou seja, que seja alcançável realisticamente, podemos usar a Lei da Atração.

Não adianta, por exemplo, querer usar a Lei da Atração para emagrecer, sem cuidar dos seus hábitos alimentares e comendo desenfreadamente.

A sua ação positiva é fundamental para a Lei da Atração funcionar corretamente em sua vida. Não basta apenas ter o objetivo e ficar esperando que ele se resolva magicamente!

Lei da Atração é AÇÃO!

Pense o seguinte: você é uma antena de transmissão humana. Parece estranho, mas é uma das maiores verdades.

Suas transmissões criam a sua vida e o mundo à sua volta.

Eu digo que é a antena mais poderosa, porque ela ultrapassa qualquer cidade ou país.

Não tem fronteiras nem limites. Isso tudo foi o ser humano quem criou. Veja na natureza: ela não tem cerca. Então, sua frequência vai para o mundo através de seus pensamentos!

Você pode atrair um personal trainer que deseja te ajudar, você pode encontrar uma amiga que se formou em nutrição e quer, agora, fazer um novo projeto e que, então, vai te ajudar a emagrecer, te oferecendo uma dieta balanceada de presente!

Você verá sinais surgirem bem na sua frente se tirar as vendas dos olhos para enxergar.

Porém, isso tudo começou quando você tomou uma DECISÃO, e isso foi tão forte que todo o universo, então, se movimentou para te ajudar.

Se quiser mudar qualquer situação na sua vida, troque de canal e troque de frequência, mudando seus pensamentos, enriquecendo sua vida e contribuindo para que o mundo evolua com suas vitórias.

Objetivo *mensurável*

Seu objetivo precisa ser palpável. Não dá para querer eliminar 10 quilos em uma semana, de forma saudável, depois de ter uma vida inteira com hábitos ruins de alimentação e sem exercícios. Qual seria seu objetivo alcançável e saudável?

Pequenas *metas diárias*

Quais são as pequenas metas diárias que você pode fazer em direção ao seu objetivo principal? Liste aquilo que você realmente irá fazer, para não se sentir frustrado no fim do dia. A Lei da Atração se harmoniza com sua vibração. Prometa o que irá realmente cumprir. Pode ser um pequeno objetivo, como dar uma volta no quarteirão, por exemplo.

"A partir de agora,
faço melhores escolhas alimentares.

Gosto dos alimentos
que são *melhores para o meu corpo*
e sinto prazer em consumi-los.

Amo cada célula do meu corpo
e apoio sua regeneração.

Quero viver de forma
cada vez mais saudável.

Por isso, cuido com amor
do meu corpo."

20 Como os **sentimentos bloqueadores** podem influenciar a **Lei da Atração** na vida de alguém?

Existem sentimentos em nosso inconsciente, impedindo a Lei da Atração de funcionar aceleradamente em nossas vidas e, se não nos damos conta disso, podemos fazer com que a Lei da Atração fique muito lenta, muito morosa ou pesada e a vida não vá para a frente.

Por exemplo, você quer muito fazer uma viagem internacional e trabalha muito. Então empecilhos começam a acontecer: o passaporte não sai, os seus dias de férias foram alterados ou o que quer que seja. Mas você poderia ter criado essa realidade da viagem em 3 meses! No entanto, com os sentimentos no seu inconsciente travados, você demora muito mais. Às vezes, pode levar até mesmo anos para atingir o objetivo que poderia ser facilmente alcançado se não houvesse bloqueios.

Você está vibrando nesses sentimentos, serão eles que se conectarão à sua realidade, e mais bloqueios surgirão em sua vida.

Na pergunta 13, eu explico melhor sobre a Escala das Emoções. Se ainda não viu, vale a pena estudar também essa pergunta.

Para você ter ideia, os sentimentos são tão fortes, que emitem uma vibração que pode ser medida em hertz.

Um sentimento de medo, por exemplo, emite uma vibração de 100 hertz.

Isso bloqueia totalmente qualquer cocriação rápida.

Se fosse para você fazer essa viagem internacional agora, ela ainda iria demorar uns 2 anos para acontecer, porque, quando se vibra no medo, os resultados são de mais medo. O universo te traz mais do mesmo.

Qual resultado você tem ao sentir medo?

Mais situações de medo, pavor, insegurança. Isso gera uma avalanche de sentimentos tóxicos para os sonhos.

"Aceito mudanças
e posso, facilmente,
me ajustar a novas situações.

Aprendo sempre *coisas novas
quando confio em mim* e sei
que o melhor está por vir!"

21 Quanto tempo leva para ver os **resultados** da **Lei da Atração?**

Eu poderia te responder com uma outra pergunta: por que a maioria das pessoas não vive a vida dos sonhos?

Esse é o problema! As pessoas, na sua grande maioria, pensam no que não querem e, sem saber, estão criando mais daquela realidade, porque é exatamente o que emitem.

Quando você me pergunta quanto tempo leva para ver os resultados, está dissociando você da lei. Está se colocando lado a lado e não dentro. A coisa toda está dentro da sua cabeça.

Se você emite uma onda eletromagnética de abundância, passará seu dia vendo oportunidades de negócios, novos aprendizados, pessoas chegando com ideias rentáveis até você.

Isso pode também levar uma semana, um mês ou um ano. Mas a partir do momento em que você estuda e tem o conhecimento de como funciona a Lei da Atração, você já mudou sua frequência.

Um maratonista treina 1 ano para ganhar uma corrida por milésimos de segundos. Você passou 30 anos pensando negativo e quer que a Lei da Atração te dê sinais agora, hoje mesmo, como se ela te devesse isso?!

É como se você dissesse, em outras palavras: "Ou eu vejo os sinais ou não acredito nisso tudo de Lei da Atração!". É isso que você emite com sua pergunta.

A Lei da Atração trabalha de maneira acelerada em sua vida, mas, se você se mantém no mesmo padrão de pensamentos, os seus resultados serão iguais.

Lembre-se: você está onde se põe e, à medida que buscamos conhecimento, saímos do lugar onde já sabemos o que acontece e vamos para uma realidade nova, na qual podemos cocriar qualquer coisa e comandar nossa realidade como protagonista de nossa história.

Costumo fazer uma analogia bem bacana: quando vamos fazer uma viagem longa, podemos ir de ônibus e demorar algumas horas, ou comprar uma passagem de avião e chegar ao destino em minutos.

Conhecer a engrenagem da Lei da Atração é sua passagem de avião para os seus sonhos!

"Eu me liberto agora
de *toda a resistência antiga*
que não me serve mais.

Abro *minha mente para o novo*
e, assim, permito que *novas ideias*
rentáveis cheguem para mim."

22 Você diz que o nosso pensamento vira **sentimento e vibração.** Isso é a **Lei da Atração?**

A Lei da Atração não é só isso.

O que você me perguntou é parte do processo.

Se fosse só isso, seria muito simples. Isso é apenas uma etapa. Ela é uma engrenagem que flui a todo momento e, quando a compreendemos, é o momento que aceleramos a Lei da Atração.

Quando falamos sobre pensamento, sentimento e vibração, estamos falando sobre uma parte da física quântica que ajudou a compreender a Lei da Atração que, durante muitos anos, foi vista somente como um processo de "visualização" e "soltar".

Não somos educados para o pensamento positivo e muito menos para ter fé, acreditar.

Esse é o maior obstáculo do século.

Crescemos sendo educados a usar o "não quero".

- **Não quero ser esquecido.**
- **Não quero ser assaltado.**
- **Não quero ser traído.**
- **Não quero ficar doente.**
- **Não quero ficar solteiro.**

Você, agora, tem o conhecimento necessário. Você sabe que pode mudar essa frequência, dizendo:

- **Sou confiante!**
- **Aqui é seguro!**
- **Confio em mim!**
- **Sou saudável!**
- **Quero casar!**

São só exemplos de momentos que a mente está funcionando para a frente e não para trás.

Se você diz "minha memória não é boa, minha memória é ruim", você está treinando sua cabeça para trás.

Use: "minha memória está cada vez melhor, minha memória melhorou muito com o passar dos anos".

Qual é a frase mais negativa que você costuma usar no seu dia?

Como seria ela agora de forma positiva, te puxando para a frente? Depois de escrever, repita em voz alta e sinta a diferença!

"Estou sempre em contato com *minha fonte criativa.*

Minha fonte criativa está *sempre em contato comigo.*"

23 Como funciona quando **pensamos** em **alguma coisa** e **acontece** exatamente o **contrário?**

Volto a dizer: seu pensamento dominante é que é gerador de tudo.

A Lei da Atração é uma lei da natureza.

Ela é impessoal e não diferencia coisas boas de ruins.

Ela percebe sua vibração, se harmoniza e a reflete de volta para você, em forma de experiência de vida.

Pensamos em uma coisa, mas o inconsciente – que é onde germinam nossos pensamentos mais poderosos e verdadeiros – está vibrando de outra maneira.

Por exemplo: podemos ficar o tempo todo visualizando positivamente algo e, quando acontece, não era o que esperávamos. Isso acontece porque, inconscientemente, vibramos no medo ou na preocupação, que é muito mais forte do que o pensamento positivo.

Sempre será o **SENTIMENTO** que irá determinar o colapso positivo ou negativo em sua vibração!

A Lei da Atração é uma lei secundária, e está paralela com a Lei da Vibração, que é a lei primária e que é atingida pelo nosso sentimento. Então, o medo e a preocupação é que vão trazer tom à sua realidade, e não sua expectativa racional, seu desejo racionalmente criado.

"Tenho em mim as *chaves certas para as fechaduras certas. Abro qualquer porta* que eu desejar.

A chave para a felicidade é saber que o *meu pensamento cria as minhas experiências.*

Uso essa chave em *todas as áreas da minha vida.*

Eu me amo e está tudo bem!"

24 Como descobrir quais **bloqueios** nos **atrapalham?**

A Lei da Atração é muito obediente todas as vezes.

Quando você se alinha com aquilo que deseja e se concentra nisso, então tudo acontece.

Quando queremos muito algo e percebemos que não estamos conseguindo acessar o que desejamos, devemos estar com algum bloqueio e, muitas vezes, não sabemos qual é a "coluna" principal que segura uma construção. Retirar uma dessas "colunas" pode ser perigoso, pois não sabemos qual delas está suportando toda aquela estrutura. Então não podemos determinar uma "coluna" só, como, por exemplo, a do medo.

Não podemos dizer que somente o medo bloqueia uma pessoa. Pode ser um trauma de alguém ou de alguma situação. Por isso, é tão importante sempre analisarmos o que está por trás do aparente e aprofundar camadas. Este caminho de entender os bloqueios é uma estrada longa, pela qual caminhamos com uma mochila cheia de pedras nas costas e, à medida que vamos aprofundando nosso conhecimento emocional, vamos tirando uma pedra de cada vez de dentro dessa mochila da vida e, assim, ela começa ser vista sob outro aspecto.

A nossa mente inconsciente é como um jardim. Com nosso consciente é que jogamos as sementes e, muitas vezes, esquecemos que plantamos essa semente. Mas, em nosso inconsciente, ela continua germinando.

Atenção ao que está plantando, leitor!

"Reinterpreto a vida
sem julgamentos.

Olho para dentro e me conecto
com a parte de mim *que sabe*
como se curar.

Inspiro o sopro da vida,
que *me alimenta e me regenera.*

Convido a se retirar qualquer
frequência que seja negativa.

Presto atenção amorosamente
e cuido de mim como nunca fiz.
Sei que todos
os *meus sentimentos*
são meus parceiros
e querem
o meu melhor."

25 O desânimo é um **bloqueio** da **Lei da Atração?**

O desânimo é uma autossabotagem que faz você procrastinar. Porque ele não aparece de um dia para o outro, ele vai crescendo dentro de você e se torna um hábito.

É preciso quebrar esse ciclo negativo.

Desanimado, a Lei da Atração fica muito lenta nas suas cocriações.

Pense: se você está devagar, porque o universo estaria acelerado? Lembre-se que tudo tem seu tempo, inclusive você.

Se o desânimo dura um dia apenas, normal. Todos temos um dia assim. Não é normal se deixar dominar e ser desanimado para sempre.

Nosso corpo, muitas vezes, quer permanecer na zona de conforto para não ter trabalho, porque, nos mantendo nessa zona, não gastamos energia. Portanto, o desânimo pode ser uma autossabotagem, bloqueando a mente para não mudarmos e, assim, permanecermos no mesmo lugar seguro.

Não há dúvidas de que o desânimo atrapalha a Lei da Atração de funcionar mais rapidamente, mas é interessante pensar de onde vem o desânimo. Da falta de sonhos? De acreditar em você mesmo? De uma autoestima doente? Das crenças limitantes que foram instaladas em sua mente?

Busque profundamente de onde vem esse desânimo, pois ele é somente a representação de algum sentimento que não está tão saudável assim.

Para prosperar, é preciso mudar!

Vou te ajudar com **5 hábitos novos!**

Comece sempre com o primeiro passo e vá implementando. Você sentirá a mudança nos próximos dias.

Veja, a seguir, algumas dicas para se livrar do desânimo e ter uma vida com mais alegria e disposição!

Em pouco tempo, você estará com hábitos novos e a Lei da Atração, que se harmoniza com sua vibração, voltará a fluir positivamente.

Tudo só depende de quem? De você!

5 hábitos novos que te *salvam do desânimo!*

1. Faça planos de curto, médio e longo prazo.

Planos bem estabelecidos, que você irá cumprir (para não se frustrar depois). Mantenha os pés no chão.

2. Procure se alimentar corretamente e dormir bem.

Se você fosse um aquário, você jogaria dentro dele o mesmo que tem jogado hoje? Como está a água desse aquário? Suja? Os peixes viveriam por quanto tempo nessa água poluída? Cuidar da alimentação e praticar exercícios também ajudam muito a reverter o desânimo.

3. Dê presentes a si mesmo, vez ou outra.

Valorize cada etapa ou objetivo que cumprir. O cérebro adora recompensa. Você está treinando-o, como treinamos os animais. E não tem nada de errado nisso.

4. Livre-se de relacionamentos tóxicos, pessoas pesadas, reclamonas e negativas.

Procure conversar com pessoas que agregam valor, pessoas que sonham, falam de prosperidade e que são alegres.

5. Contra o desânimo, invista em autoconhecimento.

Ocupe sua mente com sabedoria, como está fazendo agora com este livro. Porém, nunca pare! Esse é um hábito para toda a vida.

"Minha vida é sempre nova
e este é um novo dia.

É um prazer e alegria
plantar novas sementes,
pois sei que elas se tornarão
minhas novas etapas boas.

Toda a minha vida
é favorável a coisas boas!

Confio nesse processo,
agradecendo cada etapa!
Gratidão!"

26 Posso usar a **Lei da Atração** para **ganhar** na loteria?

Já falei um pouco disso na pergunta 11, mas vamos aprofundar essa reflexão.

Preste atenção, vou fazer uma analogia com uma vaga de estacionamento para seu carro, para ficar mais fácil de entender: quando você vai estacionar seu carro, você fica mentalizando a vaga que você quer usar, mas, assim como você, muitas pessoas também estão mentalizando uma vaga. Além disso, ali pertinho, tem o dono do estacionamento, que também quer que você pare ali para pagar.

Dá para entender aonde quero chegar?

O fluxo da Lei da Atração é ótimo para trazer muita coisa à sua vida, mas se você focar somente em ganhar na loteria, como se isso fosse resolver absolutamente todos os seus problemas, a Lei da Atração pode dizer assim: "Tudo bem, posso até te ajudar a ganhar, mas o que será de sua vida depois disso?"

Perceba: não é só ganhar, ter o prêmio. Até porque, se você pesquisar sobre os ganhadores da loteria, você verá que muitos voltaram a ser pobres, ou ficaram até mais pobres do que eram antes.

Muitas vezes, ganhar na loteria pode não ser a solução.

O que vou te contar agora pode ser muito polêmico, mas todo o dinheiro que está no planeta já existe. Como trazê-lo a você é que é a grande questão. E não é necessário ganhar na loteria, você pode usar a Lei da Atração para trazer todo o dinheiro que você quer.

Imagine quantas pessoas milionárias existem por aí e que não ganharam na loteria, que fizeram o próprio dinheiro.

Se você me acompanha nas redes sociais, sabe que sempre conto a minha própria experiência de vida, sobre deixar de ser um feirante para ser o primeiro milionário da família.

Neste exato momento, existe mais dinheiro sendo fabricado no mundo, e ele vai para as mãos de pessoas como eu e você. Trazer esse dinheiro pode ser feito de várias maneiras: usando sua criatividade, sua inteligência, seu dom, seu talento para criar uma ideia. E aí, então você faz o seu dinheiro em vez de ganhá-lo.

Quando as pessoas ganham dinheiro e não são prósperas, elas acabam perdendo o dinheiro que entrou.

Você pode trabalhar o seu pensamento no sentido de ser uma pessoa criativa, que vai trabalhar para trazer esse dinheiro a você, e a Lei da Atração vai te ajudar nisso.

"Eu conheço pessoas incríveis, que vão influenciar as *minhas finanças positivamente.*

Eu sei que *tem mais dinheiro sendo fabricado para mim* exatamente agora e ele encontrará o caminho e a forma de chegar até mim."

27 Quando o **medo** é tão grande que você não consegue **cocriar nada...** Como faz?

Medo e fé são duas forças que você precisa acreditar e que você não vê.

Por exemplo: se você tem medo de algum bicho ou inseto, por mais que não o esteja vendo, você está vibrando no medo. Nós, como ímãs humanos que somos, pensamos, sentimos, vibramos e atraímos. Dessa forma, você faz com que o bichinho venha até você!

Você conectou esse medo a você!

O mesmo vale para quem tem medo de assalto e é sempre assaltado, pessoas que têm medo de perder o dinheiro e sempre perdem, pessoas que têm medo de ser traídas e sempre são. Elas estão atraindo aquilo para a sua realidade.

Quando você tem medo de ficar sem dinheiro, por exemplo, esse é o recado que você está mandando ao universo: estar sem grana!

Quando você vibra na escassez, você cria mais escassez, pois, o universo sempre nos dá mais do mesmo. Então, se vibramos no medo, acontecerão mais situações que nos farão sentir esse medo.

O medo é tão egoísta que quer tudo para ele. Então, ele cria situações de medo o tempo inteiro!

Não dê foco ao medo e sim à

FÉ – FORÇA ESPIRITUAL.

A sua força espiritual!

Faça para si mesmo *perguntas do tipo:*

1. **Esse** *medo é meu?*

2. *penso assim?*

3. **Quem eu conheço que também** *vive sempre com medo?*

4. **Que situações ruins aconteceram** *para eu ter medo?*

O medo só tem espaço se você deixar.

Não germine pensamentos negativos.

Foque nas coisas boas que te aconteceram hoje.

Podem ser as mais simples, como: “hoje ganhei uma paçoquinha”, ou “minha colega de trabalho me serviu um café tão gostoso!”.

Você vai, assim, mandando ordens positivas para a mente e a coisa vai fluindo.

"Minha mente é *totalmente criatividade.*

As ideias me ocorrem facilmente e sem nenhum esforço.

Tenho *prazer em coisas novas* e aprendo com elas."

28 Quando você diz que a **Lei da Atração** pode ser **acelerada,** significa que essa aceleração é natural, desde que eu mude meu padrão de **vibração?**

Quando você está com a Lei da Atração bloqueada, as coisas não chegam e, quando você se alinha com a engrenagem da Lei da Atração, você acelera seus resultados naturalmente.

Imagine agora uma torneira que, quando abre, sai pouca água – onde era para sair muita água. Aí limpamos o cano que estava atrapalhando o fluxo da água e, quando abrimos a torneira novamente, a água flui em abundância.

O cano foi desobstruído, desbloqueado. E com a Lei da Atração é a mesma coisa: é natural que ela flua em abundância; somos nós que não a compreendemos e a usamos de maneira errada.

"Sou uma expressão *alegre e boa da vida.*

Tudo vem a mim com *facilidade, alegria e glória."*

29 Ser **"mão de vaca"** afeta a **Lei da Atração** em minha vida?

A Lei da Atração é fluxo, prosperidade e abundância, e quando você, em todos os momentos, escolhe o pior para si mesmo, o mais barato, você manda ao universo a mensagem que você aceita o pior e, assim, o pior pode vir para você, sim!

Você, sendo "mão de vaca", está emitindo a todo momento uma mensagem de falta, de escassez.

A pessoa sovina está o tempo inteiro dizendo que está na falta!

Ela pode até ter o dinheiro, mas ela não usa, não flui.

A energia que essa pessoa está mandando ao universo, o tempo todo, é a da falta.

Conheci pessoas, ao longo dos anos, em meu consultório, quando eu atendia como terapeuta, que chegavam a trancar comida para os outros não comerem, juntar pedaços de sabonete para fazer um novo, ir na feira sempre na xepa para pegar as coisas mais baratas e ruins etc.

Que tipo de mensagem essa pessoa está emitindo ao universo? Sua antena cósmica está enviando que tipo de onda nesse momento?

Essas perguntas são importantes eu te fazer.

Ninguém está dizendo para você comprar o mais caro para se aparecer, nem fazer loucuras sem ter condições, mas quando você tem condições e não faz, isso, sim, atrapalha sua vida drasticamente.

O fluxo do dinheiro, da prosperidade, está mentalmente agindo em sua vida porque você pensa, sente e vibra e, assim, você cria à sua volta uma assinatura energética que te conecta a todas as coisas que temos.

A pessoa sovina é uma pessoa que não flui, não evolui e só traz mais situações para que ela reforce essa realidade em sua vida!

"Eu sempre encontro formas de *atrair mais e mais dinheiro* e não tem nada de errado nisso!

A *prosperidade é minha aliada* e me sinto bem sendo assim."

30 Podemos mudar nosso **inconsciente** para **atrair** coisas melhores e mais rapidamente?

Sim. Mas espere, porque tenho que te explicar o seguinte: a mente é dividida em consciente e inconsciente. O consciente é onde estamos atentos, prestando atenção.

Quando, conscientemente, trabalhamos pensamentos positivos e temos atitudes de prosperidade e abundância, estamos reprogramando nosso inconsciente, principalmente quando sentimos rejeição, culpa ou não merecimento – que podem estar em seu inconsciente sem que você se dê conta disso, atraindo, assim, pobreza para sua vida.

Se nos preocupamos com dinheiro, estamos trabalhando nosso inconsciente para a escassez, para a falta, e mais falta trazemos a nós mesmos.

Devemos reprogramar nossa mente para ideias rentáveis, criativas e maneiras de construir um novo rumo em nossa vida. Entenda que você não vai apagar tudo que está em sua caixa preta inconsciente, mas, sim, enviar para lá novas informações, pouco a pouco, usando como porta de entrada a sua mente consciente.

Posso dizer que a mente consciente é o avião e a mente inconsciente é a caixa preta, registrando tudo o que acontece na aeronave.

> **"Eu vivo no presente e *escolho no presente ter mais dinheiro.***
>
> **Eu confio no *meu poder de manifestação* e, por isso, tantas coisas boas acontecem para mim."**

31 Podemos atrair coisas para outras pessoas usando a **Lei da Atração?**

A Lei da Atração respeita o livre-arbítrio. Então, se você quer atrair coisas para seu filho, por exemplo, é preciso saber se é o que ele quer.

Muita gente acha que a felicidade dela também é a felicidade do outro, mas, nesse caso, o que predomina é o livre arbítrio da pessoa, porque as leis universais respeitam a vontade de cada um.

A Lei da Atração trabalha o respeito, antes de qualquer coisa. Uma dica que dou é: use a Lei da Atração para você e, todas as vezes que você quiser atrair algo a alguém, mentalize a pessoa feliz, saudável, criativa e com todas as habilidades que essa pessoa possui.

Nem sempre o "roteiro" que está na sua cabeça é o roteiro de felicidade para a outra pessoa, está bem?

"Hoje, consigo perceber
que *o outro age como consegue ser.*

Eu sou como sou
e *permito que ele seja como é.*

Silencio, *respeitando*
o tempo do outro."

32 Como controlar pensamentos **que vêm automaticamente em nossa mente?**

Essa é uma das maiores dúvidas que recebo das pessoas.

Todas as vezes que vêm pensamentos em nossa mente, sobretudo negativos, eu faço um exercício que vou te ensinar agora: quando vem o pensamento ruim, eu me pergunto: "Esse pensamento é meu?". Então, você traz a sua verdade: "Eu não pensaria assim!".

Nós não controlamos nosso pensamento, nós apenas lidamos com ele. Pensamentos vêm e vão, e nós captamos o campo onde estamos. Às vezes, o pensamento nem é seu, ele só está no campo extrassensorial que você captou de outra pessoa ou local.

Quando um pensamento ruim vier, substitua imediatamente por um de melhor qualidade.

Funciona! Nós somos os únicos seres que conseguem "pensar sobre o nosso pensamento" e é uma verdadeira bênção, pois, assim, conseguimos controlá-los!

"Tenho sensibilidade para *fazer boas escolhas.*

***Respeito minha voz interna*, conversor com ela e sempre chegamos a boas decisões."**

33 Existe um passo a passo para aplicar a **Lei da Atração no meu dia a dia,** ou ela é um estudo que vai surtindo efeito com o tempo?

A Lei da Atração é uma engrenagem, mas existem passos que você já pode começar a fazer agora. A lei simplesmente é, ela é natural. Porém, quanto mais você a estuda, mais consciente você fica sobre esse processo. Eu, por exemplo, presto atenção nos pensamentos que vêm à minha mente. Se forem negativos, não deixo dominarem. Começo a pensar em coisas mais positivas, em conquistas da semana ou do dia, coloco minha atenção nas tarefas que tenho.

Então, se você quer um passo a passo, posso te dar o primeiro: é trabalhar o pensamento positivo. Porque todo pensamento muda sua vibração, e a vibração de uma pessoa que está negativa é ruim e prejudicial, e vai te conectar com coisas ruins.

Agora, sendo bem sincero, não adianta só pensar positivo. É necessário conhecer o processo e SER um ímã de coisas boas.

Lei da Atração envolve outras leis, como a Lei do Livre-Arbítrio, Lei da Ação e Reação, Lei da Causa e Efeito, a

Lei da Vibração ou a Lei da Reciprocidade. Portanto, é necessário estudo para ter resultados mais eficientes.

"Meus pensamentos são os *degraus para o meu sucesso,* **porque aprendo com eles.**

A cada degrau que subo, *me fortaleço.*

Aprendi que não preciso ver a escada toda, *comemoro e confio em mim* **a cada degrau. Assim, subo mais e mais."**

34 Dizem que podemos usar a **Lei da Atração** para fazer outra pessoa pensar em nós. **É verdade?**

Você já deve ter passado por algo assim: você pensa muito em uma pessoa e ela te manda uma mensagem, ou você estava querendo falar com a pessoa e ela te liga ou aparece.

O que você ativou, nesse momento, não foi somente a Lei da Atração. Você ativou o poder de sua mente, que emana uma vibração.

A mente é energia, e essa energia chega aonde você quiser. Mas sempre devemos ter em mente que não devemos ferir o livre-arbítrio ou livre escolha de ninguém!

Não podemos forçar pessoas a pensar em nós, e aqui deixo uma reflexão: você realmente quer manipular o pensamento da outra pessoa?

Isso é realmente preciso?

Não seria mais legal a pessoa pensar em você pela própria vontade dela?

"O meu foco *sou eu.*

Faço da minha felicidade *o meu maior objetivo!*

Me dou o melhor, me coloco no melhor e *só aceito o melhor.*"

35 Quando estamos vibrando em algo bom e, de repente, vêm pensamentos negativos que carregamos durante toda a vida e que "apagam" aquela vibração boa que estava antes, **existe alguma forma que me faça voltar à boa vibração?**

Não é que "apaga" a vibração boa que você estava. Você simplesmente mudou a vibração.

É como um rádio em que você está ouvindo rock, então você aperta o botão e sintoniza outra estação de rádio. Mudando a estação, você muda a frequência.

Quando nós pensamos, estamos em uma frequência vibracional e, quando mudamos esse pensamento, mudamos também a nossa frequência vibracional.

Se você quer vibrar positivo, você tem que mudar seus pensamentos. Você tem esse poder. Se você estava pensando positivo e mudou para o negativo, então o contrário também é válido.

A escolha é somente sua de deixar os pensamentos maus invadirem o que está bom!

"*Minha mente positiva e boa* **atrai experiências também positivas para mim."**

36 Como posso **vibrar** que mereço um **trabalho** se estou desempregado há meses?

Quando estamos desempregados, muitas vezes, é o pior momento de nossas vidas, no qual podemos nos sentir inúteis e nossa vibração cai muito. Nesse caso, isso significa que você está há meses na mesma vibração frágil.

Existem muitos empregos disponíveis no mercado e você também está disponível.

O emprego possui uma energia e uma vibração às quais você precisa se conectar. Mas não é somente enviar um currículo. Você vai ser diferente de todos os outros currículos: você vai ter FOCO na empresa que você quer trabalhar, e depois pesquisar as pessoas que trabalham naquela empresa.

Você verá se tem o perfil e se cumpre as exigências. Você vai fazer uma grande pesquisa focada na empresa que você quer. Não é para sair "metralhando" para todos os lados sem clareza do que quer. Dessa forma, você terá foco e suas chances serão bem maiores.

Essa pesquisa vai te fazer vibrar na solução e no trabalho que você quer.

Dica!

Às vezes, você está procurando um emprego, mas você já parou para pensar que você pode ser um empresário e oferecer emprego a outras pessoas? Quem bate sempre na mesma tecla ouve sempre o mesmo som.

A Lei da Atração diz que seu pensamento muda sua vibração, que, por sua vez, te conecta a tudo aquilo que você mais deseja.

Se você quer um emprego, se prepare. Estude para se conectar ao emprego, pois assim ele se conectará a você!

Não adianta nada ficar mentalizando um trabalho se você não se prepara, pois existem outras pessoas que estão se preparando para aquilo, e elas passarão na sua frente.

A AÇÃO é de extrema importância para trabalhar sua vibração.

"O emprego perfeito está à minha procura
e cada vez mais próximo a mim."

37 **William, estou aposentada por invalidez e tenho uma doença crônica.** Eu preciso de um trabalho que não comprometa minha aposentadoria. Sou mestre em literatura e tenho muitos estudos.

Na sua própria pergunta você já me deu todo o seu contexto, seu panorama, um mapa, mas sem saber aonde você quer chegar.

Você disse tudo, mas, ao mesmo tempo, não disse nada.

Nada disso importa, porque você não disse o que quer!

Você quer um emprego?
Abrir um negócio?
Se curar?
Como é esse emprego?
Onde é?
Daqui a quanto tempo você quer esse trabalho?
Ele é mensurável?

Quando "tateamos" esse mapa, tudo vai se clareando para sabermos aonde queremos chegar. É necessário sair da reclamação e entrar na clareza e no foco. Caso contrário, qualquer caminho pode ser válido para você.

"Não reclamo mais, *meu coração se enche de gratidão.*

Gosto de agradecer e, assim, as coisas fluem.

Me vejo no sucesso e sei que ele me vê também."

38 Quando deixo de **sentir rejeição** por determinada situação, significa que minha **mente desbloqueou?**

A sua mente não estava bloqueada porque você sentiu rejeição. A rejeição é somente um sentimento que está dentro de você e, quando você a sente, você afasta uma série de oportunidades. Porque quem normalmente sofre de rejeição, ou rejeita ou acha que está o tempo todo sendo rejeitado. E aí, quando você deixa esse sentimento, você tem uma libertação, não um desbloqueio e, sem dúvida, tudo começa a fluir melhor em sua vida.

"Eu me amo
e *me aprovo como sou.*

Me aceito completamente
e sou muito feliz por dar
o melhor de mim sempre."

39 Como lidar com a sensação de estar sempre sendo **"sugada"** por alguém negativo à minha volta? Como faço para manter **minha energia elevada?**

Sua pergunta é interessante, e o nome disso é "vampirismo".

Existem muitos livros e estudos sobre isso. Resolvi responder essa questão por um único motivo: para te dizer que só é sugado quem é sugável.

Você permite que isso aconteça. Sabe como? Dando audiência para isso, dando atenção para essas pessoas. Onde está seu foco? Onde está sua energia?

Quando você diz que sua energia está sendo sugada, você está dando abertura para que isso aconteça. Se estou em um ambiente com pessoas negativas, eu simplesmente ignoro a vibração delas. O mal do mundo só tem espaço no mal que há em mim!

Se você permite isso, é porque você baixou sua frequência, se igualando à frequência da pessoa que quer te sugar, e você se serve de banquete para ela! Mantenha-se com sentimentos de vibração elevada, como o amor, a alegria, o entusiasmo e a criatividade, que, dessa forma, você não se entrelaçará com esse vampirão ao seu lado!

"Eu respeito a energia dessa pessoa (pode falar o nome dela) e *agradeço o que aprendi.*

Agora, *desejo me desligar* **da vibração energética dela.**

Eu me amo **e está tudo bem!"**

40 Como sei se estou **praticando** a **Lei da Atração** de forma correta?

A Lei da Atração está te regendo; você não a está praticando. Isso é somente uma expressão para facilitar seu aprendizado. Neste momento, sei que ela está funcionando corretamente para mim quando começo a ter pequenos resultados.

Para isso, você precisa estar desperto e ter atenção plena em sua vida.

Você não precisa começar a visualizar um objetivo grande – por exemplo, um carro, que pode demorar alguns meses. Você pode mentalizar pequenos objetivos antes de algo tão grande. Vá criando segurança, certeza, confiança. Esses são sentimentos que precisam crescer em você.

Não fique em dúvida!

Dúvida está ligada à falta, e ela sempre nos enfraquece! Confie mais em você e esqueça essa ideia de que "estão te sugando". Você não é copo e nem canudinho!

Se coloque no melhor!

"O universo está respondendo a todas as minhas intenções!

Meus desejos estão se manifestando rapidamente!

Reconheço cada pequena vitória que tenho!"

41 A **Lei da Atração** interfere em nosso **destino?**

Eu não acredito em destino, não acredito em coisas preestabelecidas.

Eu uso e pratico em minha vida a Lei da Livre Escolha, muito conhecida como "livre-arbítrio". Então, eu construo meu futuro por meio das escolhas que tenho agora, do esforço, dos estudos, das ações, das decisões...

"Reconheço em mim
toda a força do universo.

Tudo vem a mim com
facilidade, alegria e glória.

Flui em mim todo o *potencial*
de amor e abundância."

42 Meu marido é extremamente negativo e isso me entristece, porque o amo. **Como lidar com essa situação?**

Você não é ele! Entenda isso.

É o jeito dele, e terá um momento na vida do seu marido em que ele irá despertar. O que não pode é ele interferir na sua positividade. Porque, às vezes, você está animada para um determinado projeto e o "marido negativo" começa a destruir toda a sua animação, e é muito difícil conviver com alguém assim dentro da nossa casa. Porém, não podemos nos bloquear com isso!

Seu marido começará a ser positivo no momento em que ele vir os seus resultados.

E, se ele não perceber, também não tem problema. Cada alma tem seu tempo.

Existem pessoas despertas e pessoas adormecidas.

Não é a mente pequena do seu marido que vai fazer com que você se bloqueie.

Você o ama do jeito que ele é, mas você precisa seguir seus sonhos. Lembre-se de que cada alma é única. Você é eterna com você mesma, e cabe somente a você trabalhar a sua prosperidade e mostrar os seus resultados ao "marido negativo".

Dê foco à sua evolução e ao seu despertar que, naturalmente, o marido começará a se transformar também.

Aceite-o e nunca tente mudá-lo. Simplesmente, MOSTRE seus resultados a ele, e o maridão mesmo vai tirar suas próprias conclusões!

Agora, se ele te proíbe de estudar, te prende, te coloca para baixo, te humilha etc., essas são outras questões.

Isso chama-se "relacionamento tóxico", e cabe apenas a você decidir se deve continuar nele ou não.

A vida é feita de escolhas.

"Estou em segurança e *me realizo em tudo o que faço e como faço.*

Nego o que me nega
e *sigo em paz.*"

43 É errado **cocriar a "casa dos sonhos"** em vez de cocriar a reforma da casa atual?

Não. Se você gosta da casa que tem e quer reformar, é um desejo. Napoleon Hill fala muito sobre "desejo ardente". É isso que você precisa determinar. Qual é seu desejo ardente?

Se você está numa casa e quer uma casa nova, é outro desejo.

São desejos diferentes. O que você precisa fazer é escolher um deles e focar.

Não é errada essa cocriação. Você está trabalhando o julgamento que nos coloca em uma situação de escassez e conformidade, nos limitando o crescimento e evolução.

Se for a casa nova, não tem problema algum. Eu mesmo já me mudei umas oito vezes. Sabe o que faço? Agradeço a casa que me acolheu, me abrigou, me serviu, e sigo meu caminho. Nada é fixo. Tudo é feito de ciclos ue terminam para outros começarem. A casa de onde eu saí, será a casa nova para alguém que vai chegar.

Nossa alma gosta naturalmente do que é belo e bom. Então, te deixo uma pergunta: por que limitar o ilimitado?

"Reinterpreto a vida
sem julgamentos.

Olho para dentro e me conecto com a parte de mim que *sabe ser próspera.*

Me conecto com toda a *abundância que existe no universo.***"**

44 A **Lei da Atração** tem a ver com **religião?**

Não, a Lei da Atração não tem nada a ver com religião, que significa "religar". É como você se liga a Deus. Pode ser ligado por meio de uma igreja evangélica, da umbanda, do candomblé, do espiritismo. Não importa.

A Lei da Atração é uma lei universal natural, como a Lei da Polaridade, a Lei da Gravidade, a Lei de Causa e Efeito, por exemplo.

Você pode ter a religião que você quiser, com o rótulo que você deseja. Esse rótulo que assumimos, muitas vezes, vai nos fazer bem. Uma religião tem sentido se ela fizer bem para você e te fizer um ser humano melhor. Então, não importa a religião, o que importa é como você pensa.

A Lei da Atração é uma lei universal que está te regendo, com ou sem você concordar, porque a Lei da Atração não é esoterismo. A Lei da Atração é uma lei universal, que estudamos para que possamos compreender o funcionamento de sua engrenagem e, quando aprendemos melhor o conteúdo, podemos aplicar em nossas vidas e ter melhores resultados. Ou seja: não tem nada a ver com religião, é uma CIÊNCIA!

"Eu sempre estou em contato com *minha fonte criativa.*

Minha fonte criativa está *sempre em contato comigo.*"

45 A **Lei da Atração** precisa ser **ativada** para **funcionar?**

Não.

Ela pode estar bloqueada, e vai funcionar de uma maneira muito lenta para você e para aquilo que você quer, mas ela já está funcionando.

É como pensar: "Eu não acredito que exista o mar". Mas ele está aí e sabemos disso.

Com a Lei da Atração, é a mesma coisa: você não precisa ativá-la, ela já está ativa. Somente quando você compreende a engrenagem da Lei da Atração, como ela funciona, é possível trazer resultados mais rápidos e resultados bons para sua própria vida.

Eu posso afirmar bem alto: "não acredito no mar!". Mas a onda vem e te leva para longe. Somos um pequeno cisco nessa imensidão chamada universo.

Aprenda a usar as leis que o regem, para fluir melhor com tudo aquilo que sonha.

Ela já está ativa e cabe a você aprender a utilizá-la.

"Nasci com *todas as habilidades e capacidades dentro de mim,* e as desenvolvo cada dia mais e com maestria."

46 É possível usar a **Lei da Atração** para tratar **dores físicas e emocionais?**

Tanto as dores emocionais como as dores físicas aparecem primeiramente em nosso pensamento.

Então, você pode não acreditar, mas no seu inconsciente existem bloqueios, medos, traumas e, com o passar dos anos, você pode criar uma realidade de dor, depressão, síndrome do pânico.

Alguns chamam isso de somatização.

Tudo começa num pensamento, que pode ser um pensamento negativo, que vai germinando dentro do seu inconsciente. Lembr e-se de que no consciente é onde estamos prestando atenção em tudo. O problema é quando jogamos a semente para o inconsciente e, às vezes, esquecemos disso; no entanto, isso está funcionando lá dentro de nós.

É como andar, mastigar, piscar.

Aprendemos uma vez e nosso corpo faz até sem percebermos. Com a Lei da Atração, a regra é a mesma coisa: ela funciona involuntariamente em nossa vida.

Se você colocar foco na sua dor (uma dor no joelho, por exemplo), estará colocando seu pensamento e atenção na dor e, quando você põe sua atenção em algo, o objeto da sua atenção se expande, amplia, aumenta. Ou seja, se você não quer ficar com dor, com depressão, com ansiedade, não coloque foco na dor. Coloque foco nas situações resolvidas, mentalize o seu joelho curado, mentalize você indo fazer uma fisioterapia. Não fique se visualizando na dor, se visualize na cura, porque quando você visualiza, a sua mente já trabalha sua energia, e o seu corpo acredita naquilo.

É possível, sim, construir uma nova realidade emocional e física para você a partir da Lei da Atração.

"Meu corpo é capaz
de *se regenerar* sempre
e de novo.

Me sinto bem
a cada vez que acordo
ou vou dormir.

Descanso *minha mente,*
e meu corpo descansa na
tranquilidade.

Está tudo bem!

Eu me amo
e está tudo bem!"

47 A **Lei da Atração** é uma forma de **oração?**

Orar é quando falamos com Deus; meditar é quando silenciamos para ouvir Deus. São duas coisas diferentes, mas o que essas duas coisas têm a ver com a Lei da Atração?

A Lei da Atração não é uma forma de oração nem um modo de meditação.

A Lei da Atração, simplesmente, é uma lei universal.

Quando você ora, você está falando, por meio da sua voz interior, com Deus, com sua religiosidade. Porque, quando você faz a sua oração, você começa a trabalhar em seu pensamento com palavras de amor, palavras de esperança, palavras de entusiasmo, e o que acontece quando você ora, muitas vezes, é orar de forma errada.

Veja a diferença entre essas orações:

"Deus, mande chuva para onde eu moro, porque os animais estão morrendo e eu estou passando fome!"

Note que a forma de orar está na falta, e é muito diferente de orar assim:

"Obrigado pela minha casa, obrigado pela chuva que ainda não chegou, mas eu sei que ela vai chegar. Obrigado por esse vento, obrigado!"

Perceba como é diferente estar na escassez, com palavras de falta fluindo em sua cabeça, que acabam trazendo ainda mais falta a você.

A Lei da Atração não é uma forma de oração, mas a forma de pensar dentro da oração pode interferir, sim, na cocriação da sua realidade!

"O meu coração
é o *centro da minha força.*

Ouço atentamente cada batida
e *me alinho, em calmaria.*

Minha mente e coração
andam juntos!

Confio no *meu sexto*
sentido e no universo.

Tenho sensibilidade
suficiente para *perceber*
todos os recados do universo."

48 Existe algum método para a **Lei da Atração** funcionar **mais rápido?**

Sim, existe um método chamado **Quintessência: Lei da Atração acelerada.**

É um método para ajudar as pessoas a cocriarem uma realidade nova de maneira mais rápida.

Neste método, são revelados cinco sentimentos ocultos que, se vivem dentro do seu peito, você não consegue acelerar a Lei da Atração.

Ela está funcionando para todos. O que acontece é que algumas pessoas estão adormecidas e não compreendem essa lei, e é exatamente por isso que se fala muito em espiritualidade e "despertar de consciência", que é quando conhecemos uma lei, uma regra, e despertamos. Mas muitas pessoas ainda estão adormecidas e não compreendem essa lei, que é tão abrangente.

Falamos muito em cocriar.

Deus é criador e nós somos cocriadores da nossa realidade. O mesmo acontece quando eu escrevo um livro:

eu sou o autor e, se tiver outro autor, ele será o coautor – ou cocriador.

Vamos imaginar assim: Deus foi autor dessa maravilha de mundo em que vivemos, e nós, humanos, somos cocriadores e temos uma lei paralela à Lei da Atração, que é a Lei do Livre-Arbítrio. Por isso a Lei da Atração é uma engrenagem, e é preciso conhecer a Lei do Livre-Arbítrio, porque suas escolhas fazem sua realidade.

Tudo parte da fé, que é a pressuposição de acreditar em algo invisível. Porém, existe outro algo invisível: o medo.

Quando as pessoas pensam no medo, elas estão emanando uma energia de escassez, de falta, de dor, de depressão. Contudo, quando elas exercem a fé, trabalham a força, a vontade, a esperança, a realização, então os seus caminhos se abrem. São duas coisas invisíveis, e é muito difícil fazer o ser humano acreditar em algo que não pode ver. Geralmente, acreditamos naquilo que podemos pegar, ou seja, cremos no que é concreto. Duvidamos muito do invisível, e só começamos a acreditar quando os resultados começam a se mostrar.

"Você é inteligência suprema, porque foi *criação da própria inteligência.*

Você se ama e está tudo bem!

Este é um dos *melhores momentos* de sua vida!

Tudo está funcionando para o seu bem, *abrindo sua prosperidade!*

Jamais se preocupe. Aquilo que é seu encontra uma maneira de *chegar até você.*"

49 Minha amiga não acredita na **Lei da Atração,** ela acha que é tudo **bobagem.** Como isso pode me **influenciar?**

Só influencia se você contar os seus projetos para ela. Porque a sua amiguinha "não acreditar em Lei da Atração" é problema dela!

Você tem uma cabeça tão aberta, e está preocupada com que a sua amiga está pensando?

Eu não estou nem aí para o que o meu amiguinho está pensando. Eu preciso estar comigo, preciso me colocar em primeiro lugar e eu preciso acreditar nos meus projetos. A sua amiga, quando vir o seu resultado, vai falar: "Caramba! E não é que deu certo mesmo?". Aí ela vai perguntar para você como é que você usa a Lei da Atração, que até então ela nem acreditava.

Se você deixar a energia negativa da sua amiga entrar em sua vida, você não vai conseguir aplicar a Lei da Atração de forma acelerada. Ela vai funcionar tão lentamente, que você vai chegar para a sua amiga e dizer que ela tinha razão, que a Lei da Atração não funciona mesmo.

"Todos os *meus relacionamentos são harmoniosos.* Eu sempre penso e me expresso com *clareza e com facilidade,* para o outro *me compreender melhor* e eu a eles."

50 Agora que estudei tudo sobre **Lei da Atração,** posso parar de **estudar,** pois a Lei se **encarregará de tudo?**

Não!

A gente nunca sabe tudo.

Eu mesmo, neste momento em que escrevo este livro, estou finalizando minha pós-graduação em Neurociências e Comportamento pela PUC-RS e ingressando no mestrado em Física Quântica.

Não devemos parar de estudar jamais.

Um bom médico não para de estudar; um bom professor não para de estudar; um bom advogado não para de estudar.

Por que vamos parar de estudar?

A cada momento se aprende algo novo, se descobre algo novo.

Não é só pensar positivo e pronto!

É neste momento que muitas pessoas se frustram, pois acham que apenas pensando positivo as coisas vão acontecer. E aí, óbvio, não acontecem. Então, saem dizendo que pensaram positivo e fizeram tudo certo, mas que nada aconteceu.

A Lei da Atração é uma engrenagem, e você tem que entender muitas coisas além dela.

Quando uma pessoa pensa positivo e não consegue trazer o que deseja para si, é porque não compreendeu a Lei da Atração como uma engrenagem. Primeiro, o pensamento gera um sentimento, que produz uma vibração, e essa vibração altera as moléculas do seu corpo. A física quântica vem explicando exatamente isso, e nós sabemos que a atenção daquele observador, diante daquela molécula, altera a vida dela. Então, quando você está dentro de si e faz um pensamento – mesmo que seja positivo –, se você não visualizar e não sentir, não conseguirá fazer com que a Lei da Atração traga para você, de uma maneira fácil, aquilo que você quer.

Se você voltar agora e ler qualquer pergunta, aleatoriamente, irá descobrir novas informações, que antes não tinha conseguido ver.

Bons estudos!

Eles só começaram!

"*Crio novos pensamentos* e o mundo à minha volta muda também.

Agradeço a *cada mudança positiva* que venho recebendo.

Estou pronto para a *prosperidade.*

Estou disposto a *ser próspero.*

Eu me amo e está tudo bem!"

WILLIAM SANCHES

Me siga nas redes sociais

www.williamsanches.com

williamsanchesvideos
Canal Lei da Atração Sem segredos

@williamsanchesoficial

/williamsanchesoficial

MÉTODO DE ATIVAÇÃO QUÂNTICA **YellowFisic**

Afirmações Mágicas de Poder

YellowFisic

é um método poderoso e inovador de ativações quânticas para serem feitas a qualquer hora e lugar, pensando nisso, criamos as "cartas quânticas" para que elas te auxiliem, como um "oráculo" em momentos em que você necessite de uma mensagem ou um direcionamento.

Sempre que nossa mente visualiza algo, aquilo fica amplificado em nossa atenção, por este motivo, ter as "cartas quânticas" junto de você é uma das grandes ferramentas para a cocriação de sua nova realidade.

YellowFisic é um **Método de Ativação Quântica** incrível para:

- ☑ Reprogramação de Crenças
- ☑ Ativação da Assinatura Energética Positiva
- ☑ Alinhamento dos Níveis de Ansiedade
- ☑ Conexão Natural com o Dinheiro
- ☑ Blindar o Amor Próprio e a Autoestima
- ☑ Criar um Polo Consciente de Atração e Repulsão
- ☑ Harmonizar os Relacionamentos
- ☑ Ativar o Sexto Sentido

DESTRAVE SEU DINHEIRO

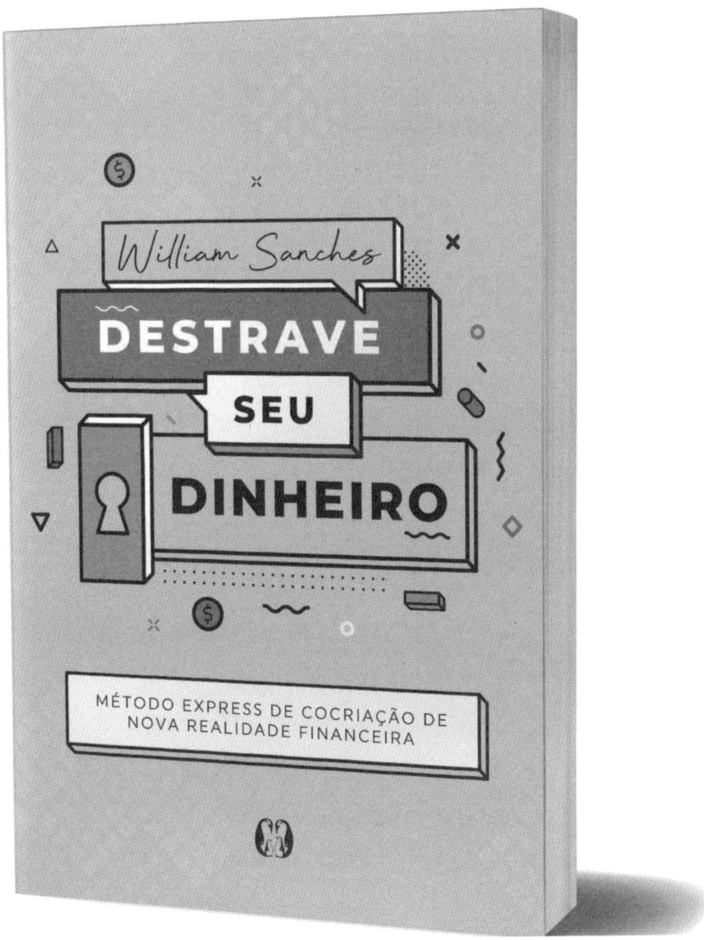

Destrave seu dinheiro

Se o seu relacionamento com o DINHEIRO não é de Prosperidade e Abundância, como você sonha e deseja, este LIVRO É PARA VOCÊ!

Quando temos, durante a nossa jornada, pensamentos e sentimentos negativos em relação à energia do dinheiro, podemos estar maltratando essa energia e, assim, não conseguimos alcançar os resultados que desejamos ter.

Esta obra nos convida a revisitar nossas crenças sobre dinheiro, reprogramando nossas mentes, para que ele entre, permaneça e seja fluxo!

Neste livro **você** vai:

- derrubar crenças limitantes em relação ao seu dinheiro;
- instalar novos hábitos prósperos;
- entender o funcionamento de sua mente em relação a abundância;
- obter técnicas express de cocriação de nova realidade;
- aprender afirmações poderosas para o dinheiro.